ISBN : 978-2-07-062744-8
© Gallimard Jeunesse 1980, pour le texte et les illustrations, 2009, pour la présente édition
Numéro d'édition : 240569
Loi n° 49-956 du 16 juillet 1949 sur les publications destinées à la jeunesse
Premier dépôt légal : septembre 2009
Dépôt légal : novembre 2011
Imprimé en France par I.M.E.
Maquette : Barbara Kekus

La belle lisse poire
du prince de Motordu

Pef

GALLIMARD JEUNESSE

1

À n'en pas douter, le prince de Motordu menait la belle vie.

Il habitait un chapeau magnifique au-dessus duquel, le dimanche, flottaient des crapauds bleu blanc rouge qu'on pouvait voir de loin.

5

Le prince de Motordu ne s'ennuyait jamais.
Lorsque venait l'hiver, il faisait d'extra-ordinaires batailles de poules de neige.

Et le soir, il restait bien au chaud à jouer aux tartes avec ses coussins...

... dans la grande salle
à danger du chapeau.

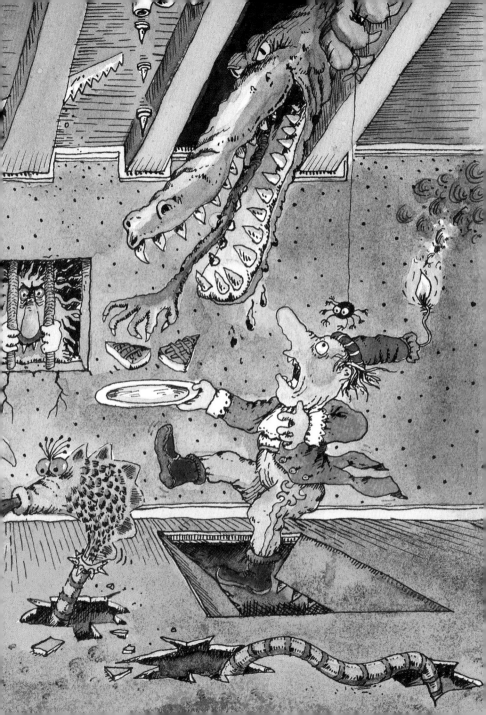

Le prince vivait à la campagne.
Un jour, on le voyait mener paître son troupeau de boutons.
Le lendemain, on pouvait l'admirer filant comme le vent sur son râteau à voiles.

Et quand le dimanche arrivait, il invitait ses amis à déjeuner.
Le menu était copieux :

2

Un jour, le père du prince de Motordu, qui habitait le chapeau voisin, dit à son fils :
– Mon fils, il est grand temps de te marier.
– Me marier ? Et pourquoi donc, répondit le prince, je suis très bien tout seul dans mon chapeau.

Sa mère essaya de le convaincre :
– Si tu venais à tomber salade,
lui dit-elle, qui donc te repasserait ton
singe ?

Sans compter qu'une épouse pourrait te raconter de belles lisses poires avant de t'endormir.

Le prince se montra sensible à ces arguments et prit la ferme résolution de se marier bientôt.
Il ferma donc son chapeau à clé, rentra son troupeau de boutons dans les tables, puis monta dans sa toiture de course pour se mettre en quête d'une fiancée.

Hélas, en cours de route, un pneu de sa toiture creva.

-Quelle tuile! ronchonna le prince, heureusement que j'ai pensé à emporter ma boue de secours.
Au même moment, il aperçut une jeune flamme qui avait l'air de cueillir des braises des bois.

– Bonjour, dit le prince en s'approchant d'elle, je suis le prince de Motordu.

– Et moi, je suis la princesse Dézécolle et je suis institutrice dans une école publique, gratuite et obligatoire, répondit l'autre.

– Fort bien, dit le prince, et que diriez-vous d'une promenade dans ce petit pois qu'on voit là-bas ?

– Un petit pois ? s'étonna la princesse, mais on ne se promène pas dans un petit pois ! C'est un petit bois qu'on voit là-bas.

- Un petit bois? Pas du tout, répondit
le prince, les petits bois, on les mange.
J'en suis d'ailleurs friand et il m'arrive d'en
manger tant que j'en tombe salade.
J'attrape alors de vilains moutons
qui me démangent toute la nuit!

–À mon avis, vous souffrez de mots de tête, s'exclama la princesse Dézécolle et je vais vous soigner dans mon école publique, gratuite et obligatoire.

3

Il n'y avait pas beaucoup d'élèves dans l'école de la princesse et on n'eut aucun mal à trouver une table libre pour le prince de Motordu, le nouveau de la classe.

Mais, dès qu'il commença à répondre aux questions qu'on lui posait, le prince déclencha l'hilarité parmi ses nouveaux camarades.

Ils n'avaient jamais entendu quelqu'un parler ainsi!

Quant à son cahier, il était, à chaque ligne, plein de taches et de ratures : on eût dit un véritable torchon.

lundi

CALCUL

? quatre et quatre : huîtres

? quatre et cinq : bœuf.

? cinq et six : bronze.

? six et six : bouse.

mardi

Que fabrique un frigo un frigo fabrique des petits

? garçons qu'on met dans l'eau pour la rafraîchir.

Mais la princesse Dézécolle n'abandonna pas pour autant.
Patiemment, chaque jour, elle essaya de lui apprendre à parler comme tout le monde.

HISTOIRE   jeudi.

Napoléon déclara la guerre
!?   aux puces, il envahit la
??   Lucie mais les puces
     mirent le feu à Moscou
     et l'empereur fut chassé
?   par les vers très froids
     qu'il faisait cette année-
     là, glaglagla....
     je n'ai pas tout
            compris.
Bonne écriture D

−On ne dit pas: j'habite un papillon, mais j'habite un pavillon.

Peu à peu, le prince de Motordu, grâce aux efforts constants de son institutrice, commença à faire des progrès.
Au bout de quelques semaines, il parvint à parler normalement, mais ses camarades le trouvaient beaucoup moins drôle depuis qu'il ne tordait plus les mots.

À la fin de l'année, cependant, il obtint le prix de camaraderie car, comme il était riche, il achetait chaque jour des kilos de bonbons qu'il distribuait sans compter.

4

Lorsqu'il revint chez lui, après avoir passé une année en classe, le prince de Motordu avait complètement oublié de se marier.

Mais quelques jours plus tard, il reçut une lettre qui lui rafraîchit la mémoire.

mardi 4

Cher Motordu

A présent que vous ne souffrez plus de mots de tête j'aimerais savoir si vous aimeriez bien vous marier avec moi !
Princesse Dézécolle

P.S. : vous avez oublié de me rendre votre livre de géographie. Merci

Il s'empressa d'y répondre, le jour même.

TELEGRAMME

DESTINATAIRE	NOMBRE DE MOTS: 23	MENTION de SERVICE
Princesse Dézécolle		la poste ferme à 5 heures!

J'ai fini de lire le livre, il est très bien et j'accepte de me marier avec vous et avec joie

Amitiés - Stop.

SIGNÉ : Motordu.

(prince.)

N° 701-B.

REP

5. J

Et c'est ainsi que le prince de Motordu épousa la princesse Dézécolle.
Le mariage eut lieu à l'école même, et tous les élèves furent invités.

Un soir, la princesse dit à son mari :
– Je voudrais des enfants.

– Combien? demanda le prince qui était en train de passer l'aspirateur.

– Beaucoup, répondit la princesse, plein de petits glaçons et de petites billes.

Le prince la regarda avec étonnement, puis il éclata de rire.

– Décidément, dit-il, vous êtes vraiment la femme qu'il me fallait, madame de Motordu. Soit, nous aurons des enfants, et en attendant qu'ils soient là, commençons dès maintenant à leur tricoter des bulles et des josettes pour l'hiver...

→ **je lis tout seul**

Pour les jeunes apprentis lecteurs
Niveau 2

n° 9 *Timioche*
par Julia Donaldson
et Axel Scheffler

n° 15 *La sorcière aux trois crapauds* par Hiawyn Oram
et Ruth Brown

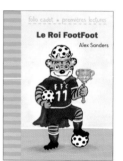

n° 21 *Le roi FootFoot*
par Alex Sanders

n° 26 *Le voleur de gommes*
par Alexia Delrieu
et Henri Fellner

n° 31 *Un chat de château*
par Janine Teisson
et Clément Devaux

n° 32 *C'est le néléchat !*
par Marie Leymarie
et Clotilde Perrin

n° 35 *Le coiffeur
de Mireille l'Abeille*
par Antoon Krings

n° 36 *Les Pyjamasques
au zoo*
par Romuald